DOVE IL MARE INCONTRA IL CIELO

THE FAN BROTHERS

traduzione di Masolino d'Amico

Gallucci

Finn abitava vicino al mare,

e il mare abitava vicino a lui.

«È una bella giornata per andare a vela»

avrebbe detto il nonno.

Finn ricordava la voce del nonno.

Gli raccontava storie su un posto lontano dove il mare incontra il cielo.

Quel giorno il nonno avrebbe compiuto novant'anni.

In sua memoria, Finn costruì una barca.

Una barca adatta per un lungo viaggio…

…che avevano

progettato insieme.

Costruire barche era un lavoro duro.

Finn fece un breve sonnellino sottocoperta.

Quando si svegliò, sentì la nave rollare dolcemente.

Il viaggio era cominciato!

«Non credevo che in mare aperto

ci si sentisse così soli»

disse Finn dopo un po' di tempo.

Le sue parole attirarono l'attenzione di un grande pesce dorato.

«Tu sai dov'è che il mare

incontra il cielo?»

chiese Finn al pesce.

«Sì, in un posto in alto e in basso, e profondo come il mare»
rispose il pesce con una voce che scosse la barca di Finn.

«È sopra e sotto e molto lontano.

Ti posso mostrare la strada».

Finn seguì il pesce dorato fino alle Isole Biblioteca,
dove stavano appollaiati cento uccelli lettori.

LE CITTÀ INVISIBILI
I PIRATI DELLA MALESIA
LA LUNA
NILS HOLGERSSON
Il viaggio in Occidente
IL MONDO DEGLI INSETTI
TEORIA DEI COLORI B. GREEN
Finnegans Wake
La macchina del tempo
SINDBAD IL MARINAIO
IL GIARDINIERE NOTTURNO

Poi esplorarono

un'isola di conchiglie giganti...

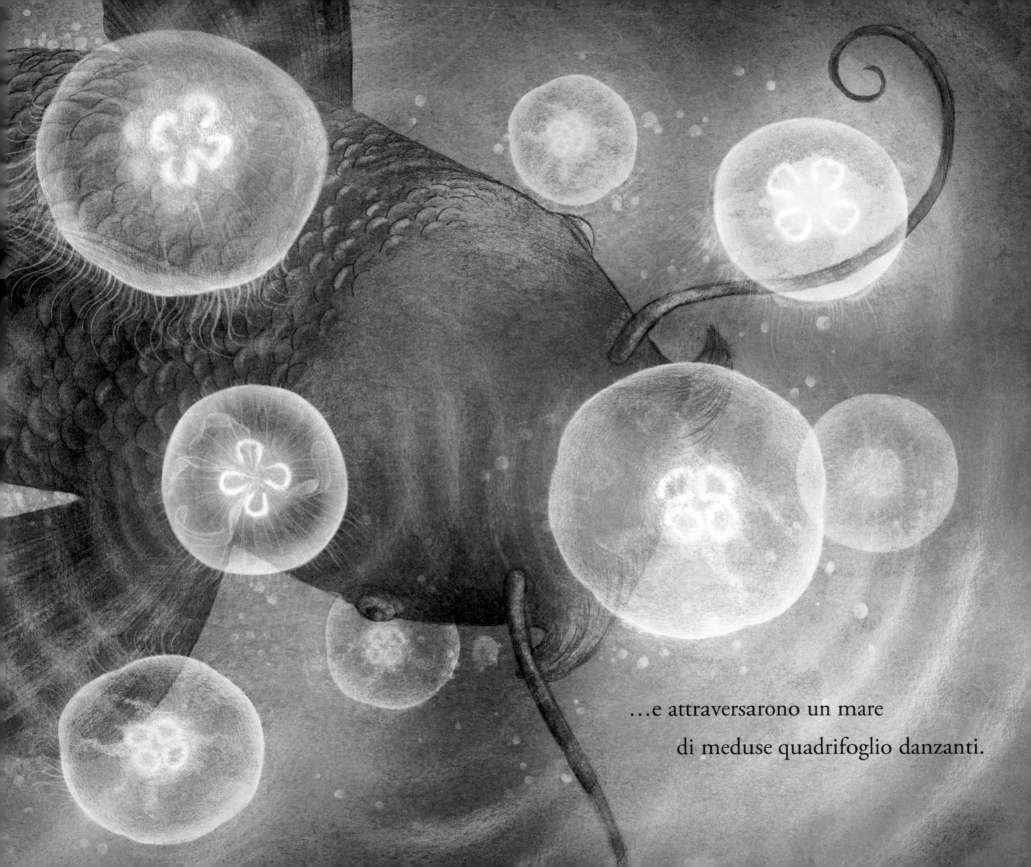

...e attraversarono un mare
di meduse quadrifoglio danzanti.

Poi gli occhi di Finn
si riempirono di stupore.

Era finalmente arrivato al luogo
delle storie di suo nonno?

Il luogo magico dove il mare incontra il cielo?

La barca cominciò

a sollevarsi dall'acqua…

...o era l'acqua

che si era abbassata?

Il pesce dorato nuotò verso la luna.

Finn gli andò dietro. Voleva salutarlo.

Aveva tante domande,
ma sentì una voce che lo chiamava
da molto lontano…

«Finn?»

«Finn, svegliati. È ora di cena» disse sua madre.

«Ho preparato gli involtini del nonno».

Finn guardò verso il mare,
verso quel magico luogo tanto lontano,
dove il mare incontra il cielo.

Era stata una bella giornata per andare a vela.

Dedicato ai nostri compagni di viaggio:

Lizzy, Christian e Justin.

Un grazie speciale

a Myteemo e a Mr. Sky.

The Fan Brothers
Dove il mare incontra il cielo
traduzione di Masolino d'Amico

ISBN 978-88-9348-517-3
Prima edizione italiana agosto 2018
ristampa   12 11 10 9 8 7 6 5 4
anno   2028 2027 2026 2025 2024

© 2018 Carlo Gallucci editore srl - Roma

Titolo dell'edizione originale inglese: *Ocean Meets Sky*
© 2018 Terry Fan ed Eric Fan
Pubblicato in accordo con Simon & Schuster Books For Young Readers,
un marchio di Simon & Schuster Children's Publishing Division - New York, Usa

Le illustrazioni sono state realizzate a grafite e colorate digitalmente

Scritto, disegnato e impaginato in Usa. Stampato in Cina

Gallucci e il logo ▲ sono marchi registrati

Se non riesci a procurarti un nostro titolo in libreria, ordinalo su:

galluccieditore.com

I fratelli **Eric** e **Terry Fan** hanno debuttato nella letteratura per ragazzi con l'acclamato *Il giardiniere notturno*, seguito dagli altrettanto fortunati *La nave cervo*, *Barnabus* (a cui ha collaborato anche il terzo fratello **Devin**), *La meraviglia caduta dal cielo*, *Lizzy e la nuvola* e *Lo spaventapasseri*, tutti già pubblicati in queste edizioni. Dopo un'infanzia trascorsa a esplorare, costruire fortezze e combattere epiche battaglie a colpi di ghiande, ora vivono a Toronto, in Canada, sulle sponde del lago Ontario, che amano considerare il loro mare. Per conoscerli meglio, vai su *thefanbrothers.com*

Degli stessi autori: